A-Z STEVE

C000279585

Key to M

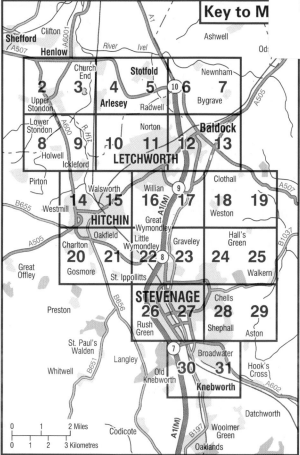

Shefford · Clifton · A6001 · Ashwell · Od:
A507 · Henlow · River · Ivel
Church End · Stotfold · Newnham
2 · **3** · **4** · **5** · **10 6** · **7**
Upper Stondon · Arlesey · Radwell · Bygrave
Lower Stondon · A600 · R.Hiz · Norton · **Baldock**
8 · **9** · **·10** · **11** · **12** · **13**
Holwell · Ickleford · **LETCHWORTH**
Pirton · Walsworth · Willian · **9** · Clothall · A507
B655 · Westmill · **14** · **15** · **16** · **17** · **18** · **19** · Weston
HITCHIN · Great Wymondley
A505 · Oakfield · Little Wymondley · Graveley · Hall's Green
Charlton · **20** · **21** · **22** · **8** · **23** · **24** · **25**
Great Offley · Gosmore · St. Ippollitts · Walkern
Preston · **STEVENAGE** · Chells
26 · **27** · **28** · **29**
Rush Green · Shephall · Aston
St. Paul's Walden · Langley · Broadwater · Hook's Cross
Whitwell · B651 · Old Knebworth · **30** · **31** · A602
Knebworth
Datchworth
0 1 2 Miles · Codicote · A1(M) · B197 · Woolmer Green
0 1 2 3 Kilometres · Oaklands

A Road	A602
B Road	B656
Dual Carriageway	
One Way Street Traffic flow on A roads is indicated by a heavy line on the drivers' left	→
Track	– – – – – –
Footpath	– – – – – –
Residential Walkway	··········
Railway	Station
Built Up Area	
Local Authority Boundary	– · – · –
Posttown Boundary	———
Postcode Boundary within Posttown	– – –
Map Continuation	16
Car Park selected	P
Church or Chapel	†
Cycle Route	·🚲·
Fire Station	■
Hospital	Ⓗ
House Numbers A & B Roads only	94 11
Information Centre	🛈
National Grid Reference	525
Police Station	▲
Post Office	★
Toilet with Facilities for the Disabled	▽ ♿

Scale

1:15,840   **4 inches to 1 mile**

0   ¼   ½ Mile
0   250   500   750 Metres   1 Kilometre

Copyright of Geographers' A-Z Map Company Limited

Head Office : Fairfield Road, Borough Green, Sevenoaks, Kent TN15 8PP Tel: 01732 781000
Showrooms : 44 Gray's Inn Road, London WC1X 8HX Tel: 0171 242 9246

The Maps in this Atlas are based upon the Ordnance Survey mapping
with the permission of the Controller of Her Majesty's Stationery Office

© 1997 EDITION 1   © Crown Copyright (399000)

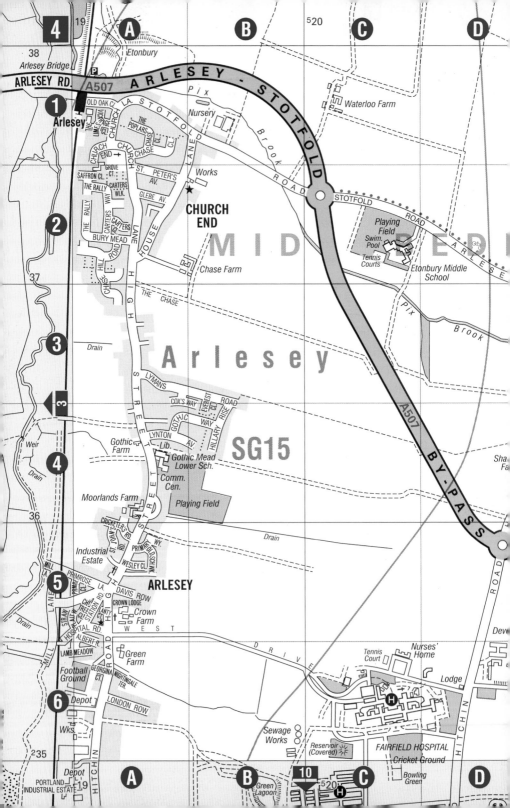

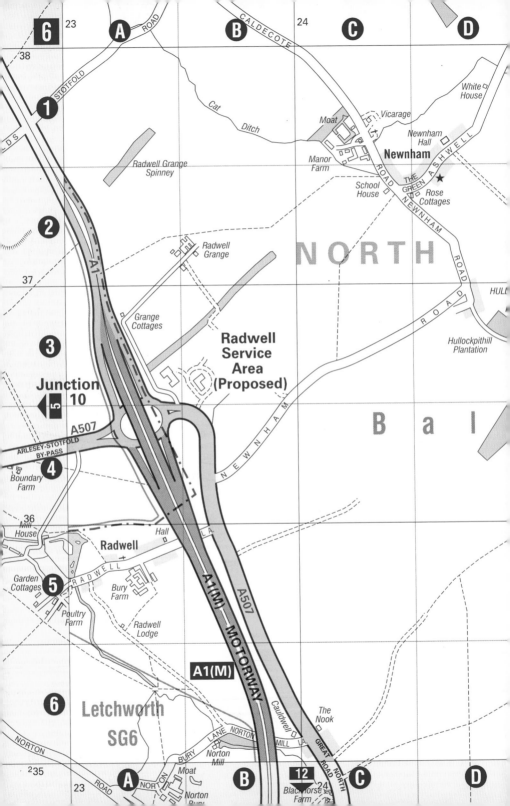

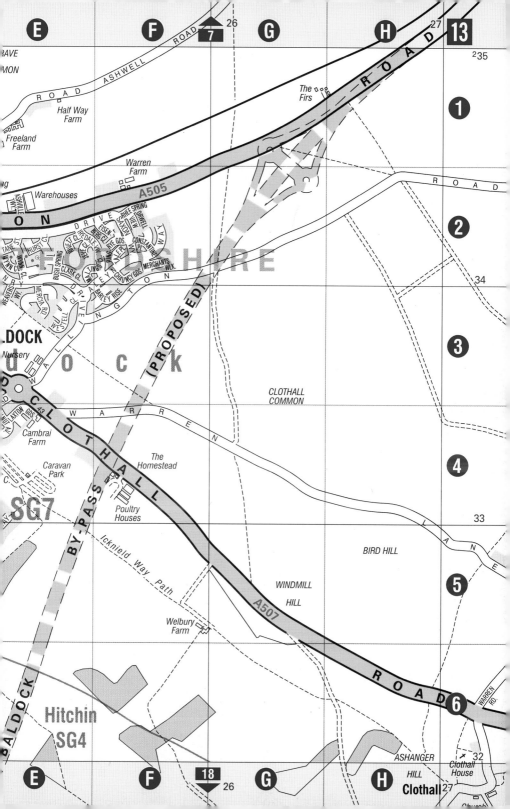

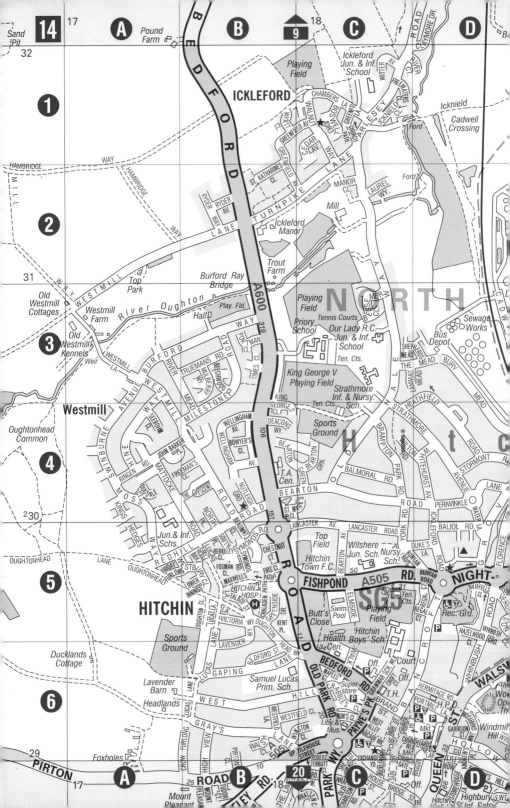

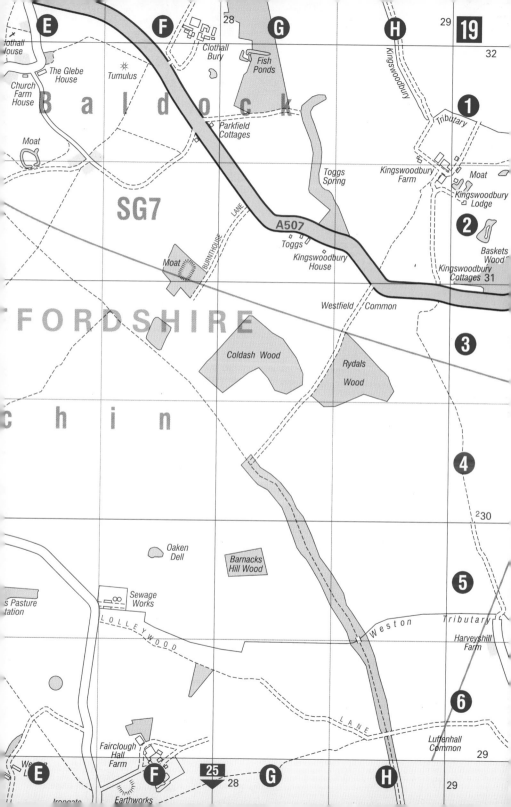

E   F   28   G   H   29   **19**   32

Clothall House

Clothall Bury

The Glebe House

Tumulus

Fish Ponds

Church Farm House

Moat

Kingswoodbury

B a l d o c k

Parkfield Cottages

Tributary

1

Kingswoodbury Farm

Moat

Kingswoodbury Lodge

SG7

Toggs Spring

2

A507

Baskets Wood

Moat

Toggs

Kingswoodbury House

Kingswoodbury Cottages   31

Westfield   Common

3

FORDSHIRE

Coldash Wood

Rydals Wood

c h i n

4

²30

Oaken Dell

Barnacks Hill Wood

5

's Pasture tation

Sewage Works

Weston   Tributary

Harveyshill Farm

LOLLEY WOOD

6

LANE

Fairclough Hall Farm

Luffenhall Common   29

E   F   **25**   G   H

28   29

Weston

Irongate   Earthworks

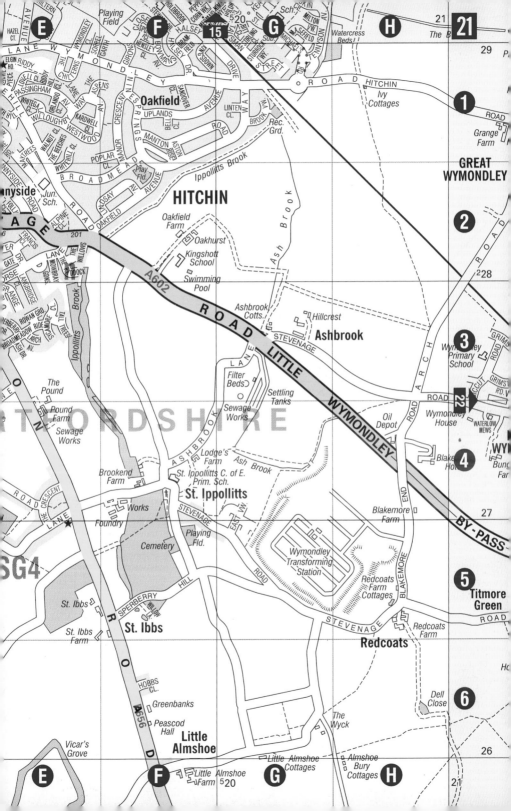

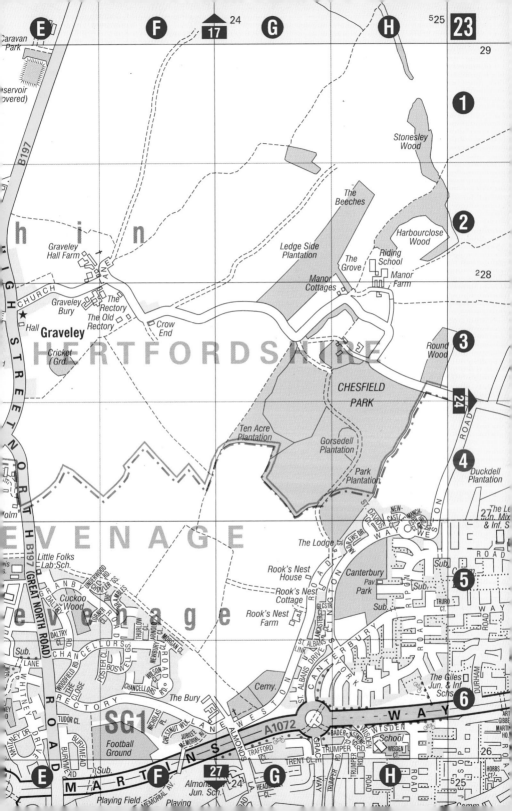

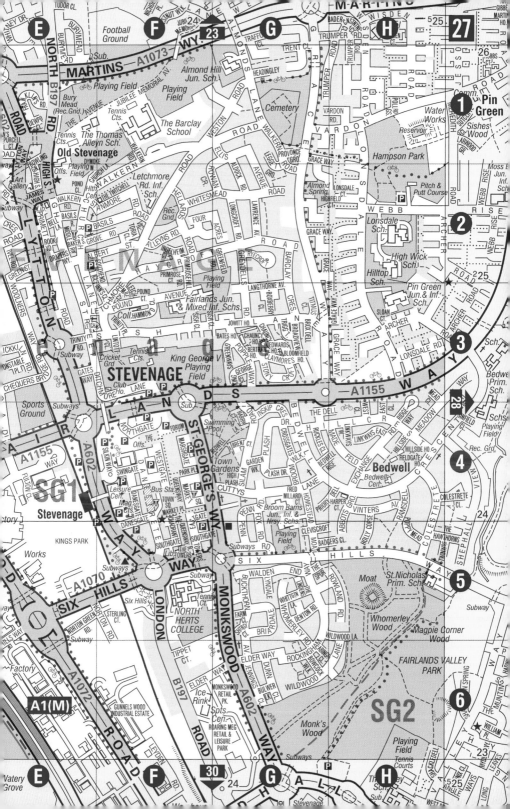

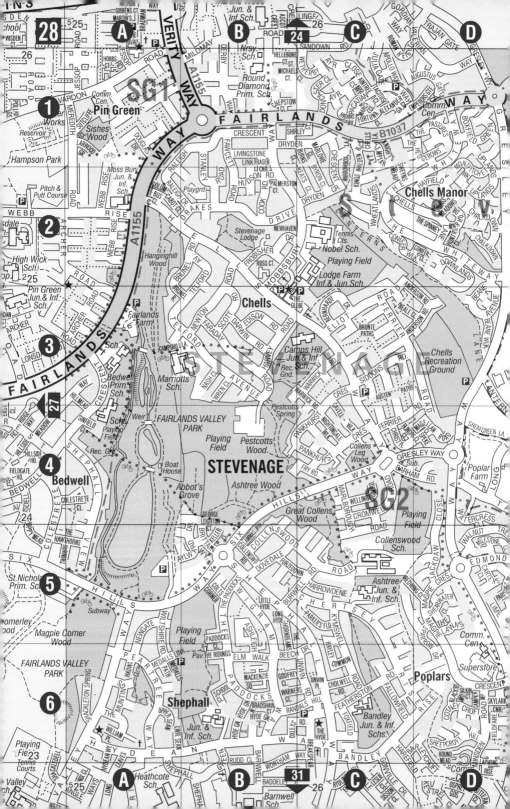

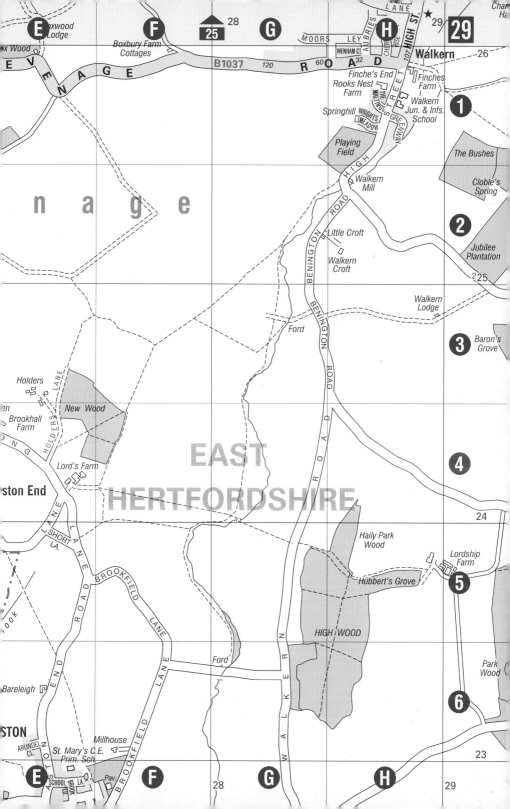

INDEX TO STREETS

HOW TO USE THIS INDEX

1. Each street name is followed by its Posttown or Postal Locality and then by its map reference; e.g. Abbotts Rd. *Let* —5D **10** is in the Letchworth Posttown and is to be found in square 5D on page **10**. The page number being shown in bold type. A strict alphabetical order is followed in which Av., Rd., St., etc. (though abbreviated) are read in full and as part of the street name; e.g. Ashleigh appears after Ash Dri. but before Ashton's La.

2. Streets and a selection of Subsidiary names not shown on the Maps, appear in the index in *Italics* with the thoroughfare to which it is connected shown in brackets; e.g. *Appletrees. Hit —1C* **20** *(off Wratten Rd. W.)*

GENERAL ABBREVIATIONS

All : Alley	Cir : Circus	Ho : House	Pas : Passage
App : Approach	Clo : Close	Ind : Industrial	Pl : Place
Arc : Arcade	Comn : Common	Junct : Junction	Quad : Quadrant
Av : Avenue	Cotts : Cottages	La : Lane	Rd : Road
Bk : Back	Ct : Court	Lit : Little	S : South
Boulevd : Boulevard	Cres : Crescent	Lwr : Lower	Sq : Square
Bri : Bridge	Dri : Drive	Mnr : Manor	Sta : Station
B'way : Broadway	E : East	Mans : Mansions	St : Street
Bldgs : Buildings	Embkmt : Embankment	Mkt : Market	Ter : Terrace
Bus : Business	Est : Estate	M : Mews	Trad : Trading
Cvn : Caravan	Gdns : Gardens	Mt : Mount	Up : Upper
Cen : Centre	Ga : Gate	N : North	Vs : Villas
Chu : Church	Gt : Great	Pal : Palace	Wlk : Walk
Chyd : Churchyard	Grn : Green	Pde : Parade	W : West
Circ : Circle	Gro : Grove	Pk : Park	Yd : Yard

POSTTOWN AND POSTAL LOCALITY ABBREVIATIONS

Ard : Ardeley	*D'wth* : Datchworth	*Let* : Letchworth	*Stev* : Stevenage
Arl : Arlesey	*Gos* : Gosmore	*L Wym* : Little Wymondley	*Stot* : Stotfold
Ast : Aston	*G'ley* : Graveley	*L Ston* : Lower Stondon	*Up Ston* : Upper Stondon
Ast E : Aston End	*Gt Wym* : Great Wymondley	*Newn* : Newnham	*Walk* : Walkern
Bald : Baldock	*Henl* : Henlow	*Odsey* : Odsey	*W'ton* : Weston
B'tn : Benington	*Hinx* : Hinxworth	*Old K* : Old Knebworth	*W'ian* : Willian
Byg : Bygrave	*Hit* : Hitchin	*Pir* : Pirton	*Will* : Willingale
Clot : Clothall	*Hol* : Holwell	*Radw* : Radwell	
Clot C : Clothall Common	*Ickl* : Ickleford	*St I* : St Ippolyts	
Cro : Cromer	*Kneb* : Knebworth	*Shef* : Shefford	

INDEX TO STREETS

Abbis Orchard. *Ickl* —6G **9**	Arcade, The. *Let* —5F **11**	Ashville Way. *Bald* —2E **13**	Babbage Rd. *Stev* —4C **26**
Abbots Gro. *Stev* —5H **27**	Arcade Wlk. *Hit* —6C **14**	Ashwell. *Stev* —5E **23**	Back La. *Let* —5B **12**
Abbotts Rd. *Let* —5D **10**	Archer Rd. *Stev* —3H **27**	(off Coreys Mill La.)	Baddeley Clo. *Stev* —1F **31**
Abinger Clo. *Stev* —6G **27**	Archers Way. *Let* —5D **10**	Ashwell Clo. *G'ley* —3D **22**	Bader Clo. *Stev* —6H **23**
Acre Piece. *Hit* —1E **21**	Arches, The. *Let* —4G **11**	Ashwell Comn. *G'ley* —3D **22**	Badger Clo. *Kneb* —5D **30**
Aintree Way. *Stev* —1C **28**	Arch Rd. *Gt Wym* —3H **21**	Ashwell Rd. *Bald & Byg*	Badgers Clo. *Stev* —5G **27**
Alban Rd. *Let* —2E **17**	Arden Press Way. *Let* —5H **11**	—1F **13**	Badminton Clo. *Stev* —4F **31**
Albert Rd. *Arl* —5A **4**	Arena Pde. *Let* —5F **11**	Ashwell Rd. *Newn* —1D **6**	Baker Av. *Stot* —3F **5**
Albert St. *Stev* —2E **27**	Argyle Way. *Stev* —4D **26**	Aspen Clo. *Stev* —4F **31**	Baker St. *Stev* —2E **27**
Aldeburgh Clo. *Stev* —6C **22**	Arlesey Rd. *Arl & Stot* —2D **4**	Aspens, The. *Hit* —1E **21**	Baldock La. *W'ian* —3D **16**
Alder Clo. *Bald* —4C **12**	Arlesey Rd. *Henl & Arl* —2F **3**	Asquith Ct. *Stev* —4G **31**	Baldock Rd. *Let* —2B **16**
Aldock Rd. *Stev* —2G **27**	(in two parts)	Aston Clo. *Stev* —5E **23**	Baldock Rd. *Stot* —4G **5**
Alexander Ga. *Stev* —1C **28**	Arlesey Rd. *Ickl* —2C **14**	(off Coreys Mill La.)	Baliol Rd. *Hit* —5D **14**
Alexander Rd. *Stot* —3F **5**	Arlesey-Stotfold By-Pass. *Arl*	Aston End Rd. *Ast* —6E **29**	Balmoral Clo. *Stev* —4G **31**
Alexandra Rd. *Hit* —4D **14**	—1A **4**	Aston La. *Stev* —4H **31**	Balmoral Rd. *Hit* —4C **14**
Aleyn Way. *Bald* —3F **13**	Armour Rise. *Hit* —3F **15**	Aston Rise. *Hit* —1F **21**	Bancroft. *Hit* —6D **14**
Alington La. *Let* —2B **16**	Arnold Clo. *Hit* —5F **15**	Astral Clo. *Henl* —6C **2**	Bandley Rise. *Stev* —6C **28**
Alleyns Rd. *Stev* —2F **27**	Arnold Clo. *Stev* —5F **23**	Astwick Rd. *Stot* —1F **5**	Barclay Cres. *Stev* —2G **27**
Allison. *Let* —6A **12**	Arthur Gibbens Ct. *Stev* —6A **24**	Aubreys. *Let* —3B **16**	Barham Rd. *Stev* —4C **28**
Almonds La. *Stev* —6G **23**	Arundel Clo. *Ast* —6E **29**	Aubries. *Walk* —1H **29**	Barleycroft. *Stev* —6C **28**
Alpine Clo. *Hit* —2E **21**	Arwood M. *Bald* —3D **12**	Augustus Ga. *Stev* —1D **28**	Barley Rise. *Bald* —3F **13**
Alton Rd. *Henl* —5C **2**	Ascot Cres. *Stev* —6B **24**	Austen Paths. *Stev* —3C **28**	Barndell Clo. *Stot* —3F **5**
Amor Way. *Let* —5H **11**	Ascot Ind. Est. *Let* —4H **11**	Aveley La. *Hit* —2C **22**	Barnwell. *Stev* —6B **28**
Anchor Rd. *Bald* —4D **12**	Ashanger La. *Clot* —1D **18**	Avenue One. *Let* —4A **12**	Baron Ct. *Stev* —6D **22**
Anderson Rd. *Stev* —3D **28**	Ashbourne Clo. *Let* —2D **16**	Avenue, The. *Hit* —6E **15**	Barrington Rd. *Let* —1B **16**
Angle Ways. *Stev* —1E **31**	Ashbrook La. *St I* —4F **21**	Avenue, The. *Stev* —1E **27**	Basils Rd. *Stev* —2E **27**
Angotts Mead. *Stev* —3D **26**	Ashburnham Wlk. *Stev* —2D **30**	Avenue, The. *Stot* —3F **5**	Bates Ho. *Stev* —3G **27**
Ansell Ct. *Stev* —6D **22**	Ashdown. *Let* —2E **11**	Avocet. *Let* —2E **11**	Bawdsey Clo. *Stev* —1D **26**
Apollo Way. *Stev* —1C **28**	Ashdown Rd. *Stev* —4F **31**	Avon Chase. *Henl* —5E **3**	Bayworth. *Let* —6H **11**
Applecroft. *L Ston* —6D **2**	Ash Dri. *St I* —3E **21**	Avon Rd. *Henl* —5E **3**	Beale Clo. *Stev* —3C **28**
Appletrees. Hit —1C **20**	Ashleigh. *Stev* —5B **28**	Aylward Dri. *Stev* —5B **28**	Beane Av. *Stev* —3D **28**
(off Wratten Rd. W.)	Ashton's La. *Bald* —5D **12**	Ayr Clo. *Stev* —1C **28**	Beane Wlk. *Stev* —3D **28**

Bearton Av. *Hit* —5C **14**
Bearton Grn. *Hit* —4B **14**
Bearton Rd. *Hit* —4B **14**
Beaumont Clo. *Hit* —5B **14**
Bedford Ho. *Stev* —3D **26**
Bedford Rd. *Hol* —4F **9**
Bedford Rd. *Let* —4D **10**
Bedford Rd. *L Ston* —3B **2**
Bedford St. *Hit* —6B **14**
Bedwell Cres. *Stev* —4G **27**
Bedwell La. *Stev* —4G **27**
Bedwell Rise. *Stev* —4G **27**
Beech Dri. *Stev* —6B **28**
Beeches, The. *Hit* —1E **21**
Beech Hill. *Let* —4D **10**
Beech Ridge. *Bald* —5D **12**
Beechwood Clo. *Bald* —6D **12**
Beechwood Clo. *Hit* —3B **14**
Beecroft La. *Walk* —5H **25**
Bell Acre. *Let* —1D **16**
Bell Acre Gdns. *Let* —1D **16**
Bell Clo. *Hit* —1F **21**
Bell Clo. *Kneb* —6E **31**
Bell La. *Stev* —2E **27**
Benchley Hill. *Hit* —5G **15**
Benington Rd. *Ast* —1H **31**
Benington Rd. *Qalk* —2G **29**
Bennett Ct. *Let* —6G **11**
Benslow La. *Hit* —6E **15**
Benslow Rise. *Hit* —6E **15**
Benstede. *Stev* —3G **31**
Berkeley. *Let* —1C **16**
Berkeley Clo. *Hit* —5B **14**
Berkeley Clo. *Stev* —3E **31**
Bernhardt Cres. *Stev* —3C **28**
Bertram Ho. *Stev* —3G **27**
Bessemer Clo. *Hit* —3C **14**
Bessemer Dri. *Stev* —5D **26**
Beverley Rd. *Stev* —5B **24**
Bidwell Clo. *Let* —6H **11**
Biggin La. *Hit* —1D **20**
Bilton Rd. *Hit* —3D **14**
Bingen Rd. *Hit* —4A **14**
Birches, The. *Let* —3E **11**
Birds Hill. *Let* —5G **11**
Bittern Clo. *Stev* —1H **31**
Bittern Way. *Let* —2E **11**
Blackberry Mead. *Stev* —6D **28**
Blackhorse La. *Hit* —3D **20**
Blackhorse Rd. *Let* —3A **12**
Blackmore. *Let* —2D **16**
Bladon Clo. *L Wym* —4B **22**
Blair Clo. *Stev* —2D **30**
Blakemore End Rd. *Hit* —5H **21**
Blakeney Ho. *Stev* —2C **26**
Blakeney Rd. *Stev* —2C **26**
Blenheim Way. *Stev* —4G **31**
Bloomfield Ho. *Stev* —3G **27**
Blyth Clo. *Stev* —2C **26**
Bockings. *Stev* —6H **25**
Borton Av. *Henl* —5D **2**
Boscombe Ct. *Let* —5H **11**
Boswell Dri. *Ickl* —1C **14**
BoswelL Gdns. *Stev* —6F **23**
Boulton Rd. *Stev* —5C **24**
Bournemouth Rd. *Stev* —1D **26**
Bowcock Wlk. *Stev* —6G **27**
Bowershott. *Let* —1C **16**
Bowling Grn. *Stev* —2E **27**
Bowmans Av. *Hit* —6F **15**
Bowman Trading Est. *Stev*
    —4D **26**
Bowyer's Clo. *Hit* —4B **14**

Boxberry Clo. *Stev* —3G **27**
Boxfield Grn. *Stev* —1D **28**
Bradleys Corner. *Hit* —4G **15**
Bradman Way. *Stev* —6A **24**
Bradshaw Ct. *Stev* —6B **28**
Braemar Clo. *Stev* —4F **31**
Bragbury Clo. *Stev* —4H **31**
Bragbury La. *D'wth* —6G **31**
Braham Clo. Hit —6C **14**
  (off Nun's Clo.)
Brambles, The. *Stev* —5F **23**
Bramfield. *Hit* —1F **21**
Bramley Clo. *Bald* —2D **12**
Brampton Pk. Rd. *Hit* —4C **14**
Bramshott Clo. *Hit* —3D **20**
Brandles Rd. *Let* —2C **16**
Brand St. *Hit* —6C **14**
Brayes Mnr. *Stot* —3F **5**
Breakspear. *Stev* —6C **28**
Brent Ct. *Stev* —4G **27**
Brewery La. *Bald* —2C **12**
Briardale. *Stev* —5G **27**
Briar Patch La. *Let* —2H **15**
Brick Kiln La. *Hit* —2B **20**
Brickkiln Rd. *Stev* —3E **27**
Bridge Rd. *Let* —5F **11**
Bridge Rd. *Stev* —3D **26**
Bridge St. *Hit* —1C **20**
Brighton Way. *Stev* —1C **26**
Brittains Rise. *L Ston* —1A **8**
Brittain Way. *Stev* —5B **28**
Brixham Clo. *Stev* —2D **26**
Broadcroft. *Let* —3B **16**
Broadhall Way. *Stev* —1B **30**
Broadmead. *Hit* —2E **21**
Broadmeadow Ride. *St I* —3E **21**
Broad Oak Way. *Stev* —1D **30**
Broadview. *Stev* —3G **27**
Broadwater. *Stev* —2F **31**
Broadwater Av. *Let* —6E **11**
Broadwater Cres. *Stev* —1D **30**
Broadwater Dale. *Let* —6E **11**
Broadwater La. *Ast* —2G **31**
  (in two parts)
Broadway. *Let* —1A **16**
Brockwell Shott. *Walk* —6H **25**
Bronte Paths. *Stev* —3C **28**
Brook Dri. *Stev* —3F **31**
Brook Field. *Ast* —6E **29**
Brookfield La. *Ast* —6E **29**
Brookhill. *Stev* —3D **30**
Brookside. *Let* —6F **11**
Brook St. *Stot* —3E **5**
Brook View. *Hit* —1G **21**
Broom Gro. *Kneb* —6D **30**
Broom Wlk. *Stev* —4G **27**
Broughton Hill. *Let* —5G **11**
Browning Dri. *Hit* —5F **15**
Brox Dell. *Stev* —3G **27**
Brunel Rd. *Stev* —2A **28**
Bucklersbury. *Hit* —1C **20**
Buckthorn Av. *Stev* —5G **27**
Bude Cres. *Stev* —2C **26**
Bulwer Link. *Stev* —6G **27**
Bunyan Clo. *Pir* —6A **8**
Bunyan Rd. *Hit* —5C **14**
Burford Way. *Hit* —3A **14**
Burghley Clo. *Stev* —3E **31**
Burley. *Let* —2F **11**
Burnell Rise. *Let* —6D **10**
Burnell Wlk. *Let* —6E **11**
Burnett Av. *Henl* —5D **2**
Burns Clo. *Hit* —5F **15**

Burns Clo. *Stev* —1C **28**
Burnthouse La. *Bald* —2F **19**
Bursland. *Let* —5D **10**
Burwell Rd. *Stev* —5B **28**
Burydale. *Stev* —2F **31**
Bury Mead. *Arl* —2A **4**
Burymead. *Stev* —6E **23**
Bury Mead Rd. *Hit* —3D **14**
Bush Spring. *Bald* —2E **13**
Business Cen. E. *Let* —5A **12**
Business Cen. W. *Let* —5A **12**
Butchers La. *Hit* —2D **20**
Bygrave Rd. *Bald* —2D **12**
Byrd Wlk. *Bald* —4D **12**
Byron Clo. *Hit* —5F **15**
Byron Clo. *Stev* —2C **28**

C

*C*abot Clo. *Stev* —2A **28**
Cade Clo. *Let* —2A **12**
Cadwell Ct. *Hit* —3E **15**
Cadwell La. *Hit* —3D **14**
Caernarvon Clo. *Stev* —4F **31**
Caister Clo. *Stev* —6C **22**
Caldecote Rd. *Newn* —1B **6**
California. *Bald* —2D **12**
Campbell Clo. *Hit* —5F **15**
Campers Av. *Let* —6E **11**
Campers Rd. *Let* —6D **10**
Campers Wlk. *Let* —6E **11**
Campfield Way. *Let* —6D **10**
Campion Ct. *Stev* —1E **27**
Campkin Mead. *Stev* —6D **28**
Campshill La. *Stev* —3A **28**
Campus One. *Let* —4A **12**
Cannix Clo. *Stev* —1E **31**
Canterbury Way. *Stev* —6G **23**
Cardiff Clo. *Stev* —4F **31**
Carters Clo. *Arl* —2A **4**
Carters Clo. *Stev* —5D **28**
Carters Wlk. *Arl* —2A **4**
Carters Way. *Arl* —2A **4**
Cartwright Rd. *Stev* —5C **24**
Cashio La. *Let* —2G **11**
Caslon Way. *Let* —2F **11**
Castles Clo. *Stot* —1F **5**
Cavalier Ct. Stev —6D 22
  (off Ingleside Dri.)
Cavell Wlk. *Stev* —4C **28**
Cavendish Rd. *Stev* —4C **26**
Caxton Way. *Stev* —5D **26**
Cedar Av. *Ickl* —1C **14**
Cemetery Rd. *Hit* —1D **20**
Central Av. *Henl* —6D **2**
Chace, The. *Stev* —2D **30**
Chadwell Rd. *Stev* —5D **26**
Chagney Clo. *Let* —5E **11**
Chalkden Path. *Hit* —5B **14**
Chalkdown. *Stev* —2D **28**
Chalk Field. *Let* —2E **17**
Chalk Hills. *Bald* —6D **12**
Chambers La. *Ickl* —1C **14**
Chancellors Rd. *Stev* —6E **23**
Chantree M. *Let* —1E **17**
Chantree Rd. *Hit* —6C **14**
Chantry La. *Hit* —5B **22**
Chaomans. *Let* —2B **16**
Chapel Pl. *Stot* —4F **5**
Chapel Row. Hit —5D 14
  (off Whinbush Rd.)
Chapman Rd. *Stev* —6D **22**
Chapmans, The. *Hit* —1C **20**
Charlton Rd. *Hit* —3B **20**

Chase Clo. *Arl* —1A **4**
Chase Hill Rd. *Arl* —3A **4**
Chase, The. *Arl* —3A **4**
Chasten Hill. *Let* —4D **10**
Chatsworth Ct. *Stev* —2D **30**
Chatterton. *Let* —6H **11**
Chaucer Way. *Hit* —5G **15**
Chauncy Gdns. *Bald* —2F **13**
Chauncy Ho. *Stev* —3G **27**
Chauncy Rd. *Stev* —3G **27**
Chells La. *Stev* —2C **28**
  (in two parts)
Chells Way. *Stev* —2A **28**
Chepstow Clo. *Stev* —1B **28**
Chequers Bri. Rd. *Stev* —3E **27**
Chequers Clo. *Stot* —3G **5**
Cherry Tree Clo. *Arl* —5A **4**
Cherry Tree Rise. *Walk* —1H **29**
Cherry Trees. *L Ston* —6D **2**
Chertsey Rise. *Stev* —5C **28**
Chester Rd. *Stev* —6A **24**
Chestnut Av. *Henl* —6D **2**
Chestnut Ct. *Hit* —5B **14**
Chestnut Wlk. *Stev* —6F **23**
Chiltern Pl. *Henl* —1E **3**
Chiltern Rd. *Bald* —5D **12**
Chiltern Rd. *Hit* —6E **15**
Chilterns, The. *Hit* —1E **21**
Chiltern View. *Let* —6D **10**
Chivers Bank. *Bald* —4C **12**
Cholwell Rd. *Stev* —6C **28**
Chouler Gdns. *Stev* —5E **23**
Christie Rd. *Stev* —4C **28**
Church End. *Arl* —1A **4**
Church End. *Walk* —5H **25**
Churchgate. *Hit* —1C **20**
Church Grn. *Gt Wym* —1A **22**
Church La. *Arl* —1A **4**
Church La. *G'ley* —3E **23**
Church La. *Stev* —2E **27**
Church La. *W'ton* —5D **18**
Church La. *W'ian* —2A **22**
Church Path. *Ickl* —1C **14**
Church Path. *L Wym* —4B **22**
Church Rd. *Stot* —3F **5**
Church St. *Bald* —2C **12**
Church Yd. *Hit* —6C **14**
Churchyard Wlk. *Hit* —6C **14**
Clare Cres. *Bald* —5C **12**
Claymore Dri. *Ickl* —6H **9**
Claymores. *Stev* —3G **27**
Cleviscroft. *Stev* —5G **27**
Clifton Gdns. *Bald* —3D **12**
Clifton Rd. *Henl* —1E **3**
Cloister Lawn. *Let* —1B **16**
Cloisters Rd. *Let* —1B **16**
Close, The. *Bald* —4C **12**
Close, The. *Stev* —6E **23**
Clothall Rd. *Bald* —3D **12**
Clovelly Way. *Stev* —2C **26**
Coach Dri. *Hit* —2D **20**
Coachman's La. *Bald* —3B **12**
Codicote Ho. Stev —6E 23
  (off Coreys Mill La.)
Coleridge Clo. *Hit* —5F **15**
Colestrete. *Stev* —5H **27**
Colestrete Clo. *Stev* —4A **28**
Collenswood Rd. *Stev* —5B **28**
Collison Clo. *Hit* —3G **15**
Colonnade, The. *Let* —5F **11**
  (off Eastcheap)
Colts Corner. *Stev* —5B **28**
Columbus Clo. *Stev* —2A **28**

Colwyn Clo.—Grange Rd.

Colwyn Clo. *Stev* —2D **26**
Commerce Way. *Let* —5F **11**
Common Rise. *Hit* —4E **15**
Common Rd. *Stot* —1F **5**
Common View. *Let* —3G **11**
Common View Sq. *Let* —4G **11**
Conifer Clo. *Stev* —2D **28**
Conifer Wlk. *Stev* —2C **28**
Conquest Clo. *Hit* —2D **20**
Constantine Clo. *Stev* —6H **23**
Constantine Pl. *Bald* —2F **13**
Convent Clo. *Hit* —5D **14**
Cook Rd. *Stev* —2B **28**
Cooks Way. *Hit* —4E **15**
Cook Wlk. *Stev* —2E **27**
Cooper Clo. *L Ston* —1A **8**
Coopers Clo. *Stev* —5D **28**
Coopers Field. *Let* —4D **10**
Coppens, The. *Stot* —4G **5**
Coppice Mead. *Stot* —4E **5**
Coreys Mill La. *Stev* —6D **22**
Corner Clo. *Let* —5E **11**
Corton Clo. *Stev* —1D **26**
Cotney Croft. *Stev* —6D **28**
Coventry Clo. *Stev* —6A **24**
Cowslip Hill. *Let* —4E **11**
Cox's Way. *Arl* —3A **4**
Crabbles Clo. *Hit* —6C **14**
Crabtree Dell. *Let* —2E **17**
Crabtree La. *Bald* —5C **12**
Cragside. *Stev* —4G **31**
Cranborne Av. *Hit* —1B **20**
Cranborne Ct. *Stev* —6D **22**
   (off Ingleside Dri.)
Creamery Ct. *Let* —2E **17**
Crescent, The. *Henl* —5D **2**
Crescent, The. *Hit* —4B **14**
Crescent, The. *Let* —6G **11**
Crescent, The. *St I* —4E **21**
Cricketer's Rd. *Arl* —5A **4**
Croft Ct. *Hit* —6C **14**
Croft La. *Let* —2G **11**
Crofts, The. *Stot* —3F **5**
Crompton Rd. *Stev* —3C **26**
Cromwell Grn. *Let* —3H **11**
Cromwell Rd. *Let* —3H **11**
Cromwell Rd. *Stev* —4C **28**
Crossgates. *Stev* —4G **27**
Crossleys. *Let* —1F **11**
Cross St. *Let* —4F **11**
Crow Furlong. *Hit* —1B **20**
Crown Lodge. *Arl* —5A **4**
Cubitt Clo. *Hit* —6G **15**
Curlew Clo. *Let* —2E **11**
Cuttys La. *Stev* —4G **27**

Dacre Rd. *Hit* —5E **15**
Dagnalls. *Let* —3B **16**
Dale Clo. *Hit* —3D **28**
Dale, The. *Let* —6E **11**
Daltry Clo. *Stev* —5E **23**
Daltry Rd. *Stev* —5E **23**
Damask Grn. Rd. *W'ton* —5B **18**
Dancote. *Kneb* —6D **30**
Dane Clo. *Stot* —1F **5**
Dane End Ho. *Stev* —6E **23**
   (off Coreys Mill La.)
Dane End La. *Hit* —3E **25**
Danescroft. *Let* —2F **11**
Danesgate. *Stev* —5F **27**
Daneshill Ho. *Stev* —4F **27**
   (off Danestrete)

Danestrete. *Stev* —4F **27**
Darwin Rd. *Stev* —3B **28**
Davis Cres. *Pir* —6A **8**
Davis Row. *Arl* —5A **4**
Dawlish Clo. *Stev* —4G **31**
Dawson Clo. *Henl* —4E **3**
Deacons Way. *Hit* —4B **14**
Deanscroft. *Kneb* —6D **30**
Deard's End La. *Kneb* —6D **30**
Deards Wood. *Kneb* —6D **30**
Dell, The. *Bald* —5C **12**
Dell, The. *Stev* —4G **27**
Denby. *Let* —1D **16**
Dene La. *Ast* —1H **31**
Denton Rd. *Stev* —5G **27**
Dents Clo. *Let* —2E **17**
Derby Way. *Stev* —1B **28**
Derwent Rd. *Henl* —5D **2**
Desborough Rd. *Hit* —5G **15**
Devonshire Clo. *Stev* —3E **31**
Dewpond Clo. *Stev* —1E **27**
Ditchmore La. *Stev* —3F **27**
Doncaster Clo. *Stev* —1C **28**
Douglas Dri. *Stev* —1A **28**
Dovedale. *Stev* —5B **28**
Dovehouse La. *Stev* —5G **25**
Dower Ct. *Hit* —2D **20**
   (off London Rd.)
Downlands. *Bald* —2E **13**
Downlands. *Stev* —2D **28**
Drakes Dri. *Stev* —2B **28**
Drapers Way. *Stev* —2E **27**
Dryden Cres. *Stev* —1B **28**
Dugdale Ct. *Hit* —4A **14**
Duke's La. *Hit* —5D **14**
Dunham's La. *Let* —4H **11**
Dunlin. *Let* —2E **11**
Dunn Clo. *Stev* —6G **27**
Durham Rd. *Stev* —6A **24**
Dyes La. *Hit* —5A **26**
Dymoke M. *Stev* —1E **27**

Eagle Ct. *Bald* —2C **12**
Earlsmead. *Let* —2B **16**
Eastbourne Av. *Stev* —3C **26**
Eastcheap. *Let* —5F **11**
East Clo. *Hit* —4F **15**
East Clo. *Stev* —4H **27**
Eastern Av. *Henl* —6E **3**
Eastern Way. *Let* —3G **11**
Eastgate. *Stev* —5F **27**
Easthall Ho. *Stev* —6E **23**
   (off Coreys Mill La.)
Eastholm. *Let* —3G **11**
Eastholm Grn. *Let* —3G **11**
E. Reach. *Stev* —1E **31**
East View. *St I* —5G **21**
Edgeworth Clo. *Stev* —2G **31**
Edison Rd. *Stev* —3B **28**
Edmonds Dri. *Stev* —5D **28**
Edwards Ho. *Stev* —3G **27**
Eisenberg Clo. *Bald* —2F **13**
Elbow La. *Stev* —3F **31**
Eldefield. *Let* —4D **10**
Elderberry Dri. *St I* —3E **21**
Elder Way. *Stev* —6F **27**
Elgin Ho. *Hit* —1E **21**
Eliot Rd. *Stev* —3C **28**
Ellice. *Let* —1D **16**
Ellis Av. *Stev* —1G **27**
Elm Pk. *Bald* —3D **12**
Elms Clo. *L Wym* —4A **22**

Elmside Wlk. *Hit* —5C **14**
Elm Wlk. *Stev* —6B **28**
Elmwood Av. *Bald* —4D **12**
Elmwood Ct. *Bald* —3D **12**
Ely Clo. *Stev* —5B **24**
Emperors Ga. *Stev* —1D **28**
Enjakes Clo. *Stev* —4F **31**
Enterprise Cen., The. *Stev*
   —2D **26**
Essex Ho. *Stev* —3D **26**
Essex Rd. *Stev* —1D **26**
Everest Clo. *Arl* —4B **4**
Exchange Rd. *Stev* —4H **27**
Exchange Yd. *Hit* —6C **14**
Exeter Clo. *Stev* —5B **24**
Eynsford Ct. *Hit* —1D **20**

Fairfield Way. *Hit* —5H **15**
Fairlands Way. *Stev* —4E **27**
Fairview Rd. *Stev* —1D **26**
Fakeswell La. *L Ston* —1A **8**
Falcon Clo. *Stev* —1H **31**
Fallowfield. *Stev* —6C **28**
Faraday Rd. *Stev* —3B **28**
Farm Clo. *Let* —2G **11**
Farm Clo. *Stev* —5G **27**
Farriers Clo. *Bald* —2C **12**
Farthing Dri. *Let* —2E **17**
Fawcett Rd. *Stev* —1B **28**
Featherston Rd. *Stev* —6C **28**
Fellowes Way. *Stev* —1D **30**
Fells Clo. *Hit* —5D **14**
Fen End. *Stot* —1F **5**
Ferrier Rd. *Stev* —3C **28**
Fieldfare. *Let* —2E **11**
Fieldfare. *Stev* —6D **28**
Fieldgate Ho. *Stev* —4H **27**
Field La. *Let* —1B **16**
Fifth Av. *Let* —5A **12**
Filey Clo. *Stev* —2C **26**
Finches, The. *Hit* —6E **15**
Fir Clo. *Stev* —2D **30**
Firecrest. *Let* —2E **11**
Firs Clo. *Hit* —5B **14**
Fishers Grn. *Stev* —6C **22**
   (in two parts)
Fishersgreen La. *Stev* —6D **22**
Fisher's Grn. Rd. *Stev* —1D **26**
Fishponds Rd. *Hit* —5C **14**
Fleetwood. *Let* —1D **16**
Fleetwood Cres. *Stev* —1D **26**
Flinders Clo. *Stev* —4C **28**
Flint Rd. *Let* —3A **12**
Florence St. *Hit* —5D **14**
Folly Clo. *Hit* —2E **21**
Folly Path. *Hit* —1D **20**
Football Clo. *Bald* —2C **12**
Fore St. *W'ton* —4B **18**
Forest Row. *Stev* —2D **30**
Forge Clo. *Hit* —5D **14**
Fortuna Clo. *Stev* —1C **28**
Forum, The. *Stev* —4F **27**
Fosman Clo. *Hit* —1D **16**
Foster Clo. *Stev* —6F **23**
Foster Dri. *Hit* —2E **21**
Fouracres. *Let* —2C **16**
Four Acres. *Stev* —2F **27**
Fourth Av. *Let* —4A **12**
Fovant. *Stev* —6D **28**
Foxfield. *Stev* —6C **28**
Fox Rd. *Stev* —4G **27**
Francis Clo. *Hit* —2E **21**

Francis Clo. *Stot* —3E **5**
Franklin Gdns. *Hit* —4F **15**
Franklin's Rd. *Stev* —1E **27**
Franks Clo. *Henl* —5D **2**
Fraser Corner. *Stev* —2B **28**
Fred Millard Ct. *Stev* —4G **27**
Freeman's Clo. *Hit* —4B **14**
Freewaters Clo. *Ickl* —1C **14**
Frensham Dri. *Hit* —3G **15**
Friars Rd. *W'ton* —4B **18**
Friday Furlong. *Hit* —5A **14**
Frobisher Dri. *Stev* —2B **28**
Froghall La. *Walk* —6G **25**
Frogmore Ho. *Stev* —6E **23**
   (off Coreys Mill La.)
Fry Rd. *Stev* —4C **28**
Fullers Ct. *Let* —4E **11**
Fulton Clo. *Stev* —4F **27**
Furlay Clo. *Let* —4D **10**
Furzedown. *Stev* —5B **28**

Gainsford Cres. *Hit* —3G **15**
Gaping La. *Hit* —6B **14**
Garden Row. *Hit* —5D **14**
Gardens, The. *Bald* —3C **12**
Gardens, The. *Henl* —1F **3**
Gardens, The. *Stot* —3E **5**
Garden Wlk. *Stev* —4G **27**
Garrison Ct. *Hit* —6D **14**
Garth Rd. *Let* —2A **16**
Gates Way. *Stev* —3E **27**
Gaunts Way. *Let* —1F **11**
Gentle Ct. *Bald* —3C **12**
George Clo. *Let* —5F **11**
George Leighton Ct. *Stev*
   —4B **28**
Georgina Ct. *Arl* —6A **4**
Gernon Rd. *Let* —6F **11**
Gernon Wlk. *Let* —6F **11**
Gibbons Way. *Kneb* —6D **30**
Gibson Clo. *Hit* —6F **15**
Gillison Rd. *Let* —6H **11**
Gipsy La. *Kneb* —6C **30**
Girdle Rd. *Hit* —3E **15**
Girons Clo. *Hit* —1F **21**
Glade, The. *Bald* —4C **12**
Glade, The. *Let* —2B **16**
Gladstone Ct. *Stev* —3E **31**
Glebe Av. *Arl* —2A **4**
Glebe Rd. *Let* —4G **11**
Glebe, The. *Ard* —3B **28**
Glenwood Clo. *Stev* —1G **31**
Gloucester Clo. *Stev* —5G **23**
Glynde, The. *Stev* —3F **31**
Goddard End. *Stev* —2G **31**
Godfrey Clo. *Stev* —6B **28**
Goldon. *Let* —1E **17**
Gonville Cres. *Stev* —1G **31**
Gordian Way. *Stev* —6C **24**
Gorleston Clo. *Stev* —6C **22**
Gorst Clo. *Let* —6E **11**
Gosmore Bygrave. *Stev* —5E **23**
   (off Coreys Mill La.)
Gosmore Ley Clo. *Gos* —4D **20**
Gosmore Rd. *Hit* —2D **20**
Gothic Way. *Arl* —4A **4**
Grace Way. *Stev* —6G **23**
Grammar Sch. Wlk. *Hit* —6C **14**
Granby Rd. *Stev* —5E **23**
Grange Clo. *Hit* —3E **15**
Grange Dri. *Stot* —4F **5**
Grange Rd. *Let* —3F **11**

Langthorne Av.—Oakfields Rd.

Langthorne Av. *Stev* —3G **27**
Lannock. *Let* —1F **17**
Lannock Hill. *Let* —3F **17**
Lanterns. *Stev* —2C **28**
Lanterns La. *Ast E* —3D **28**
Lanthony Ct. *Arl* —5A **4**
Lapwing Dell. *Let* —3D **16**
Lapwing Rise. *Stev* —6D **28**
Larch Av. *St I* —3E **21**
Larkins Clo. *Bald* —2D **12**
Larkinson. *Stev* —2E **27**
Larwood Gro. *Stev* —1A **28**
Latchmore Clo. *Hit* —2D **20**
Laurel M. *Bald* —2D **12**
Laurel Way. *Ickl* —2C **14**
Lavender Ct. *Bald* —2C **12**
Lavender Way. *Hit* —6B **14**
Lawns, The. *Stev* —5D **28**
Lawrence Av. *Let* —1C **16**
Lawrence Av. *Stev* —2G **27**
Laxton Gdns. *Bald* —4E **13**
Leas, The. *Bald* —4C **12**
Leaves Spring. *Stev* —1D **30**
Leggett Gro. *Stev* —1G **27**
Leslie Clo. *Stev* —1G **31**
Letchmore Clo. *Stev* —3F **27**
Letchmore Rd. *Stev* —3F **27**
(in two parts)
Letchworth Bus. & Retail Pk. *Let*
—4A **12**
Letchworth Ga. *Let* —6H **11**
Letchworth La. *Let* —2B **16**
Letchworth Rd. *Bald* —3B **12**
Letchworth Shopping Cen. *Let*
—5F **11**
Leyden Rd. *Stev* —6F **27**
Leys Av. *Let* —5F **11**
Lime Clo. *Stev* —5D **28**
Limekiln La. *Bald* —4D **12**
Limes, The. *Arl* —1A **4**
Limes, The. *Hit* —1B **20**
Lincoln Rd. *Stev* —5B **24**
Lindencroft. *Let* —2G **11**
Lindens, The. *Stev* —5G **27**
Lindsay Av. *Hit* —1F **21**
Lingfield Rd. *Stev* —6C **24**
Links, The. *Let* —2G **11**
Linkways E. *Stev* —4H **27**
Linkways W. *Stev* —4H **27**
Linnet Clo. *Let* —3E **11**
Lintern Clo. *Hit* —1G **21**
Lintott Clo. *Stev* —3F **27**
Lismore. *Stev* —2G **31**
Lister Av. *Hit* —2D **20**
Lister Clo. *Stev* —5E **23**
(off Coreys Mill La.)
Lit. Hyde. *Stev* —1B **28**
Lit. Wymondley By-Pass. *Hit*
—3G **21**
Livingstone Link. *Stev* —1B **28**
Lodge Way. *Stev* —2E **31**
Lolleywood La. *Hit* —5F **19**
London Rd. *Bald* —6D **12**
(in two parts)
London Rd. *Gos & St I* —2D **20**
(in two parts)
London Rd. *Kneb* —6E **31**
London Rd. *Stev* —5F **27**
London Row. *Arl* —6A **4**
Long Clo. *L Ston* —1A **8**
Longcroft Rd. *Stev* —2G **27**
Longfield. *Stev* —1D **26**
Longfield Ct. *Let* —4D **10**

Longfields. *Stev* —2G **31**
Long Hyde. *Stev* —5B **28**
Long La. *Ast E* —4D **28**
Long Leaves. *Stev* —1E **31**
Longmead. *Let* —4E **11**
Longmeadow Dri. *Ickl* —6G **9**
Longmeadow Grn. *Stev* —2G **31**
Long Ridge. *Ast* —2H **31**
Lonsdale Ct. *Stev* —2H **27**
Lonsdale Rd. *Stev* —1H **27**
Lordship La. *Let* —1D **16**
Lovell Clo. *Hit* —1E **21**
Lwr. Innings. *Hit* —5B **14**
Lwr. Sean. *Stev* —6A **28**
Lucas La. *Hit* —5B **14**
Lygrave. *Stev* —3G **31**
Lyle's Row. *Hit* —1D **20**
Lymans Rd. *Arl* —3A **4**
Lymington Rd. *Stev* —1D **26**
Lyndale. *Stev* —5G **27**
Lynton Av. *Arl* —4A **4**
Lytton Av. *Let* —6F **11**
Lytton Fields. *Kneb* —6D **30**
Lytton Way. *Stev* —2E **27**

Macfadyen Webb Ho. *Let*
—4G **11**
Mackenzie Sq. *Stev* —6B **28**
Maddles. *Let* —1F **17**
Made Feld. *Stev* —4H **27**
Magellan Clo. *Stev* —4D **28**
Magpie Cres. *Stev* —5D **28**
Maiden St. *W'ton* —4B **18**
Mallard Rd. *Stev* —1H **31**
Malthouse La. *Stot* —2G **5**
Maltings Clo. *Bald* —2E **13**
Maltings, The. *Let* —2A **12**
Maltings, The. *Stev* —1H **29**
Malvern Clo. *Stev* —4F **31**
Manchester Clo. *Stev* —5H **23**
Mandeville. *Stev* —3G **31**
Manor Clo. *Ickl* —2C **14**
Manor Clo. *Let* —2B **16**
Manor Cres. *Hit* —1F **21**
Manor Ho. Dri. *Stev* —2D **28**
Manor View. *Stev* —2F **31**
Manor Way. *Let* —2B **16**
Mansfield Rd. *Bald* —4C **12**
Manton Rd. *Hit* —1F **21**
Maples Ct. *Hit* —6C **14**
Maples, The. *Hit* —2D **20**
Marcus Clo. *Stev* —1C **28**
Market Pl. *Hit* —6C **14**
Market Pl. *Stev* —4F **27**
Market Sq. *Stev* —4F **27**
Marlborough Clo. *W'ton* —5B **18**
Marlborough Rd. *Stev* —4C **28**
Marlowe Clo. *Stev* —1C **28**
Marmet Av. *Let* —5E **11**
Marschefield. *Stot* —3E **5**
Marshgate. *Stev* —4F **27**
Martin's Ho. *Stev* —6A **24**
Martins Way. *Stev* —1E **27**
Martin Way. *Let* —6D **10**
Marymead Ct. *Stev* —3E **31**
Marymead Dri. *Stev* —3E **31**
Marymead Ind. Est. *Stev* —3F **31**
Masefield. *Hit* —6G **15**
Matthew Clo. *Hit* —2E **21**
Mattocke Rd. *Hit* —4A **14**
Maxwell Rd. *Stev* —4D **26**
Maxwell's Path. *Hit* —5B **14**

Maycroft. *Let* —2G **11**
Maydencroft La. *Gos* —3B **20**
Mayfield Cres. *L Ston* —1A **8**
Maylin Clo. *Hit* —5G **15**
Maytrees. *Hit* —1E **21**
Mead Clo. *Stev* —3H **27**
Meadow Bank. *Hit* —5F **15**
Meadow Way. *Hit* —1B **20**
Meadow Way. *Let* —6F **11**
Meadow Way. *Stev* —4H **27**
Meadow Way. *Stot* —3F **5**
Meads, The. *Let* —5E **11**
Mead, The. *Hit* —3C **14**
Meadway. *Stev* —3C **26**
(in two parts)
Meadway Ct. *Stev* —3D **26**
Medalls Link. *Stev* —6A **28**
Medalls Path. *Stev* —6A **28**
Meeting Ho. La. *Bald* —2C **12**
Melbourn Clo. *Stot* —3F **5**
Melne Rd. *Stev* —3F **31**
Merchants Wlk. *Bald* —2F **13**
Meredith Rd. *Stev* —1A **28**
Mermaid Clo. *Hit* —6F **15**
Mews, The. *Let* —2A **12**
Middlefields. *Let* —2F **11**
Middlefields Ct. *Let* —2F **11**
(off Middlefields)
Middle Row. *Stev* —2E **27**
Middlesborough Clo. *Stev*
—5H **23**
Middlesex Ho. *Stev* —3D **26**
Midhurst. *Let* —3F **11**
Mildmay Rd. *Stev* —1B **28**
Milestone Clo. *Stev* —5D **28**
Milestone Rd. *Hit* —4B **14**
Milestone Rd. *Kneb* —6E **31**
Milksey La. *Hit* —2E **23**
Millard Way. *Hit* —3G **15**
Mill Clo. *Hit* —5G **15**
Mill Clo. *Stot* —3G **5**
Millfield La. *St I* —3D **20**
Mill La. *Arl* —5H **3**
Mill La. *Gos & St I* —4D **20**
Mill La. *Stot* —3G **5**
Mill La. *W'ton* —4C **18**
Mill Rd. *St I* —4D **20**
Mill Way. *Hit* —2A **14**
Milne Clo. *Let* —2D **16**
Milton View. *Hit* —6G **15**
Minehead Way. *Stev* —2C **26**
Minsden Rd. *Stev* —1H **31**
Mixies, The. *Stot* —3E **5**
Mobbsbury Way. *Stev* —1B **28**
Monklands. *Let* —5D **10**
Monks Clo. *Let* —5C **10**
Monks View. *Stev* —1D **30**
Monkswood Retail Pk. *Stev*
—6G **27**
Monkswood Way. *Stev* —5G **27**
Montfitchet Wlk. *Stev* —1D **28**
Moormead Clo. *Hit* —1B **20**
Moormead Hill. *Hit* —1B **20**
Moors Ley. *Walk* —6G **25**
Morecombe Clo. *Stev* —2D **26**
Morgan Clo. *Stev* —6F **23**
Morris Clo. *Henl* —4E **3**
Moss Way. *Hit* —4A **14**
Moss Way. *Stev* —1C **28**
Mt. Garrison. *Hit* —6D **14**
Mountjoy. *Hit* —4G **15**
Mt. Pleasant. *Hit* —1B **20**
Mowbray Cres. *Stot* —2F **5**

Mowbray Gdns. *Hit* —2E **21**
Mozart Ct. *Stev* —4E **27**
Muddy La. *Let* —2B **16**
Muirhead Way. *Kneb* —6D **30**
Mulberry Clo. *Stot* —4F **5**
Mulberry Way. *Hit* —3B **14**
Mullway. *Let* —5C **10**
Mundesley Clo. *Stev* —6D **22**
Muntings, The. *Stev* —6A **28**
Munts Meadow. *W'ton* —4C **18**
Murrell La. *Stot* —4G **5**

Narrowbox La. *Stev* —2C **28**
Nash Clo. *Stev* —3B **28**
Nene Rd. *Henl* —5D **2**
Netherstones. *Stot* —2F **5**
Netley Dell. *Let* —2D **16**
Nevell's Grn. *Let* —4F **11**
Nevells Rd. *Let* —5F **11**
Newbury Clo. *Stev* —6F **23**
Newcastle Clo. *Stev* —4H **23**
New Clo. *Kneb* —5D **30**
Newells Way. *Let* —6B **12**
New England Clo. *St I* —3D **20**
Newgate. *Stev* —5A **28**
Newhaven. *Stev* —2B **28**
Newlands. *Let* —2C **16**
Newlands Clo. E. *Hit* —3D **20**
Newlands Clo. W. *Hit* —3D **20**
Newlands La. *Hit* —3D **20**
Newlyn Clo. *Stev* —3C **26**
Newnham Rd. *Bald* —2D **6**
New Rd. *Shef* —1C **2**
Newton Rd. *Stev* —3B **28**
Newtons Way. *Hit* —1D **28**
Nicholas Pl. *Stev* —6F **23**
Nightingale Rd. *Hit* —5D **14**
Nightingale Ter. *Arl* —6A **4**
Nightingale Wlk. *Stev* —4C **28**
Nightingale Way. *Bald* —5C **12**
Nimbus Way. *Hit* —6G **15**
Ninesprings Way. *Hit* —1F **21**
Nodes Dri. *Stev* —2E **31**
Nokeside. *Stev* —3F **31**
Noke, The. *Stev* —3F **31**
Normans Clo. *Let* —2F **11**
North Av. *Let* —3H **11**
Northern Av. *Henl* —6D **2**
Northfields. *Let* —2F **11**
Northgate. *Stev* —4F **27**
North Pl. *Hit* —4B **14**
North Rd. *G'ley & Stev* —4E **23**
Norton Bury La. *Let* —1A **12**
Norton Cres. *Bald* —3C **12**
Norton Green Rd. *Stev* —5E **27**
Norton Mill La. *Let* —6B **6**
Norton Rd. *Let* —3G **11**
Norton Rd. *Stev* —5F **27**
Norton Rd. *Stot* —4G **5**
Norton Way N. *Let* —4G **11**
Norton Way S. *Let* —5G **11**
Norwich Clo. *Stev* —6B **24**
Nun's Clo. *Hit* —6C **14**
Nursery Clo. *Stev* —3E **31**
Nutleigh Gro. *Hit* —4B **14**

Oakfield Av. *Hit* —2F **21**
Oakfields. *Stev* —2F **31**
Oakfields Av. *Kneb* —5E **31**
Oakfields Clo. *Stev* —2G **31**
Oakfields Rd. *Kneb* —5E **31**

St Peter's Av. *Arl* —2A **4**
Sale Dri. *Clot C* —2D **12**
Salisbury Rd. *Bald* —2C **12**
Salisbury Rd. *Stev* —5A **24**
Sanderling Clo. *Let* —3E **11**
Sandover Clo. *Hit* —1F **21**
Sandown Rd. *Stev* —6C **24**
Sandy Gro. *Hit* —1D **20**
Sanfoine Clo. *Hit* —5G **15**
Saunders Clo. *Let* —4A **12**
Sax Ho. *Let* —2E **11**
Saxon Av. *Stot* —1F **5**
Saxon Clo. *Let* —2F **11**
Saxon Way. *Bald* —2F **13**
Sayer Way. *Kneb* —6D **30**
Scarborough Av. *Stev* —1C **26**
School Clo. *Stev* —6B **28**
Schoolfields. *Let* —6A **12**
School La. *Ast* —6E **29**
School La. *W'ton* —4C **18**
School Wlk. *Let* —5H **11**
Scott Rd. *Stev* —3B **28**
Second Av. *Let* —5A **12**
Seebohm Clo. *Hit* —4A **14**
Sefton Rd. *Stev* —6B **24**
Senate Pl. *Stev* —4B **24**
Shackledell. *Stev* —1D **30**
Shackleton Spring. *Stev* —6A **28**
Shaftesbury Ct. *Stev* —5G **27**
Shaftesbury Ind. Est. *Let*
—4H **11**
Sheafgreen La. *Stev* —4D **28**
Shearwater Clo. *Stev* —5D **28**
Sheepcroft Hill. *Stev* —6D **28**
Shelley Clo. *Hit* —6G **15**
Shephall Grn. *Stev* —1E **31**
Shephall Grn La. *Stev* —1F **31**
Shephall La. *Stev* —2D **30**
Shephall View. *Stev* —4A **28**
Shephall Way. *Stev* —5B **28**
Shepherds La. *Stev* —3B **26**
Shepherds Mead. *Hit* —3C **14**
Sheringham Av. *Stev* —6D **22**
Sherwood. *Let* —3F **11**
Shillington La. *Up Ston* —1A **8**
Shirley Clo. *Stev* —1B **28**
Shoreham Clo. *Stev* —1C **26**
Short La. *Stev* —5E **29**
Shott La. *Let* —5G **11**
Siccut Rd. *L Wym* —3A **22**
Siddons Rd. *Stev* —3C **28**
Silam Rd. *Stev* —4G **27**
Silkin Ct. *Stev* —6D **28**
Silkin Way. *Stev* —4F **27**
Silverbirch Av. *Stot* —1F **5**
Simpson Dri. *Bald* —3D **12**
Simpsons Ct. *Bald* —3D **12**
Sinfield Clo. *Stev* —4A **28**
Sish Clo. *Stev* —3F **27**
(in two parts)
Sish La. *Stev* —3F **27**
Sisson Clo. *Stev* —1G **31**
Six Hills Way. *Stev* —5E **27**
Sixth Av. *Let* —5A **12**
Skegness Rd. *Stev* —1C **26**
Skipton Clo. *Stev* —3D **30**
Skylark Corner. *Stev* —6D **28**
Sleaps Hyde. *Stev* —2G **31**
Slip La. *Old K* —6A **30**
Sloan Ct. *Stev* —3H **27**
Snailswell La. *Ickl* —6G **9**
Snipe, The. *W'ton* —4B **18**
Sollershott E. *Let* —1B **16**

Sollershott Hall. *Let* —1B **16**
Sollershott W. *Let* —1A **16**
Sorrel Garth. *Hit* —1E **21**
Souberie Av. *Let* —6F **11**
South Clo. *Bald* —4D **12**
Southend Clo. *Stev* —2F **27**
Southern Av. *Henl* —6D **2**
Southern Way. *Let* —2E **11**
Southfields. *Let* —2F **11**
Southgate. *Stev* —5F **27**
South Hill Clo. *Hit* —1E **21**
South Pl. *Hit* —5B **14**
South Rd. *Bald* —4D **12**
Southsea Rd. *Stev* —1D **26**
South View. *Let* —6F **11**
Southwark Clo. *Stev* —6B **24**
Sparhawke. *Let* —2G **11**
Sparrow Dri. *Stev* —5D **28**
Speke Clo. *Stev* —4D **28**
Spellbrooke. *Hit* —5B **14**
Sperberry Hill. *St I* —5F **21**
Spinney, The. *Bald* —4C **12**
Spinney, The. *Stev* —2D **28**
Spreckley Clo. *Henl* —4D **2**
Spring Dri. *Stev* —3E **31**
Spring Rd. *Let* —5E **11**
Springshott. *Let* —6E **11**
Spurrs Clo. *Hit* —6F **15**
Spur, The. *Stev* —5G **27**
Standhill Clo. *Hit* —1D **20**
Standhill Rd. *Hit* —1D **20**
Stane Field. *Let* —2D **16**
Stane St. *Bald* —2E **13**
Stanley Rd. *Stev* —1B **28**
Stanmore Rd. *Stev* —2E **27**
Station App. *Hit* —5E **15**
Station App. *Kneb* —6D **30**
Station Pl. *Let* —5F **11**
Station Rd. *Arl* —5A **4**
Station Rd. *Kneb* —6D **30**
Station Rd. *Let* —5F **11**
Station Rd. *L Ston* —1A **8**
Station Rd. *Odsey* —2D **12**
Station Way. *Let* —5E **11**
Sterling Ct. *Stev* —5F **27**
Stevenage Rd. *Hit & L Wym*
—2D **20**
Stevenage Rd. *Stev & Kneb*
—3D **30**
Stevenage Rd. *St I* —4F **21**
Stevenage Rd. *Walk* —1E **29**
Stewart Dri. *Hit* —6F **15**
Stirling Clo. *Hit* —6G **15**
Stirling Clo. *Stev* —4H **31**
Stobarts Clo. *Kneb* —5D **30**
Stockens Dell. *Kneb* —6D **30**
Stonecroft. *Kneb* —6D **30**
Stoneley. *Let* —2F **11**
Stonnells Clo. *Let* —3F **11**
Stony Croft. *Stev* —3G **27**
Storehouse La. *Hit* —1D **20**
Stormont Rd. *Hit* —4D **14**
Stotfold Rd. *Arl* —1A **4**
Stotfold Rd. *Bald* —1H **5**
Stotfold Rd. *Let* —4C **10**
Strafford Ct. *Old K* —6E **31**
Strathmore Av. *Stev* —4C **14**
Straw Plait W. *Arl* —5H **3**
Sturgeon's Way. *Hit* —3F **15**
Sturrock Way. *Hit* —1G **21**
Such Clo. *Let* —4H **11**
Sunnyside Rd. *Hit* —2E **21**
Sun St. *Bald* —3C **12**

Sun St. *Hit* —1C **20**
Sutcliffe Clo. *Stev* —1A **28**
Swangley's La. *Kneb* —6E **31**
Swanstand. *Let* —1F **17**
Sweyns Mead. *Stev* —2C **28**
Swift Clo. *Let* —3E **11**
Swinburne Av. *Hit* —4A **14**
Swingate. *Stev* —4F **27**
Sycamore Clo. *St I* —3E **21**
Sycamores, The. *Bald* —3C **12**
Symonds Grn. La. *Stev* —3C **26**
Symonds Grn. Rd. *Stev* —2C **26**
(in two parts)
Symonds Rd. *Hit* —5B **14**

Tabbs Clo. *Let* —4H **11**
Tabor Ct. *Let* —4D **10**
Tacitus Clo. *Stev* —1C **28**
Talbot St. *Hit* —5B **14**
Talbot Way. *Let* —2H **11**
Talisman St. *Hit* —6G **15**
Tall Trees. *St I* —3E **21**
Tarrant. *Stev* —6D **22**
Tatlers La. *Ast E* —4D **28**
Tatmorehills La. *Hit* —6A **20**
Taylor's Hill. *Hit* —1D **20**
Taylor's Rd. *Stot* —1F **5**
Taywood Clo. *Stev* —1F **31**
Tedder Av. *Henl* —4D **2**
Telford Av. *Stev* —3B **28**
Templar Av. *Bald* —5D **12**
Temple Clo. *Hit* —3A **20**
Temple Ct. *Bald* —5D **12**
Tene, The. *Bald* —3D **12**
Tennyson Av. *Hit* —1G **21**
Thatchers End. *Hit* —5H **15**
Third Av. *Let* —4A **12**
Thistley La. *Gos* —5D **20**
Thornbury Clo. *Stev* —3E **31**
Three Star Caravan Pk. *L Ston*
—6C **2**
Thristers Clo. *Let* —2D **16**
Thurlow Clo. *Stev* —5F **23**
Thurnall Rd. *Bald* —3D **12**
Tilehouse St. *Hit* —1C **20**
Tillers Link. *Stev* —1E **31**
Times Clo. *Hit* —3B **14**
Tintern Clo. *Stev* —4E **31**
Tippet Ct. *Stev* —6F **27**
Titmus Clo. *Stev* —3G **27**
Torquay Cres. *Stev* —2D **26**
Totts La. *Walk* —6H **25**
Tower Clo. *L Wym* —4B **22**
Towers Rd. *Stev* —5F **27**
Towers, The. *Stev* —5F **27**
Townley. *Let* —1F **17**
Town Sq. *Stev* —4F **27**
Trafford Clo. *Stev* —6G **23**
Trajan Ga. *Stev* —6D **24**
Tramerne Clo. *Hit* —2D **20**
Trent Clo. *Stev* —3D **30**
Trevor Rd. *Hit* —5E **15**
Triangle, The. *Hit* —1D **20**
Trigg Ter. *Stev* —3G **27**
Trinity Pl. *Stev* —3F **27**
Trinity Rd. *Stev* —3E **27**
Trinity Rd. *Stot* —2F **5**
Tristram Rd. *Hit* —3E **15**
Truemans Rd. *Hit* —3B **14**
Trumper Rd. *Stev* —6G **23**
Truro Ct. *Stev* —5H **23**
Tudor Clo. *Stev* —6E **23**

Tudor Ct. *Hit* —1B **20**
Turf La. *G'ley* —3D **22**
Turner Clo. *Stev* —5E **23**
Turnpike La. *Ickl* —2B **14**
Turpin's Rise. *Stev* —2D **30**
Turpin's Way. *Bald* —4D **12**
Twinwoods. *Stev* —5H **27**
Twitchell, The. *Bald* —3D **12**
(in two parts)
Twitchell, The. *Stev* —2F **27**
Tye End. *Stev* —3F **31**

Underwood Rd. *Stev* —5E **23**
Unwin Clo. *Let* —1A **16**
Unwin Pl. *Stev* —6C **28**
Unwin Rd. *Stev* —6C **28**
Uplands. *Stev* —1D **28**
Uplands Av. *Hit* —1F **21**
Up. Maylins. *Let* —2E **17**
Upper Sean. *Stev* —6A **28**
Upperstone Clo. *Stot* —3F **5**
Up. Tilehouse St. *Hit* —6C **14**

Valerian Way. *Stev* —6D **24**
Vallansgate. *Stev* —2F **31**
Valley Rd. *Let* —4D **10**
Valley Way. *Stev* —1D **30**
Vardon Rd. *Stev* —1G **27**
Vaughan Rd. *Stot* —3E **5**
Verity Way. *Stev* —6A **24**
Verulam Rd. *Hit* —5D **14**
Vicarage Clo. *Arl* —1A **4**
Victoria Clo. *Stev* —2F **27**
Victoria Dri. *Stot* —4G **5**
Victoria Way. *Hit* —5B **14**
View Point. *Stev* —4C **26**
Vincent. *Let* —1E **17**
Vines, The. *Stot* —3E **5**
Vinters Av. *Stev* —4H **27**

Walden End. *Stev* —5G **27**
Walkern Rd. *B'tn* —6G **29**
Walkern Rd. *Stev* —2E **27**
Walkers Ct. *Bald* —3D **12**
(off High St. Baldock,)
Wallace Way. *Hit* —3E **15**
Wallington Rd. *Bald* —3E **13**
Walnut Av. *Bald* —4E **13**
Walnut Clo. *Hit* —1E **21**
Walnut Clo. *Stot* —3F **5**
Walnut Tree Clo. *Stev* —5D **28**
Walnut Way. *Ickl* —1C **14**
Walpole Ct. *Stev* —4G **31**
Walsham Clo. *Stev* —4G **31**
Walsh Clo. *Hit* —6B **14**
Walsworth Rd. *Hit* —6D **14**
Waltham Rd. *Hit* —1D **20**
Warners Clo. *Stev* —6B **28**
Warren Clo. *Let* —4D **10**
Warren La. *Clot* —4E **13**
Warren Rd. *Clot* —6H **13**
Warrensgreen La. *W'ton*
—2C **24**
Warwick Rd. *Stev* —3C **28**
Watercress Clo. *Stev* —4D **28**
Waterdell La. *St I* —4D **20**
Water La. *Hit* —4D **14**
Waterloo La. *Hol* —5C **6**
Waterlow M. *L Wym* —4A **22**
Watton Rd. *Kneb* —6E **31**

Waverley Clo. *Stev* —3E **31**
Waysbrook. *Let* —1D **16**
Waysmeet. *Let* —1D **16**
Webb Clo. *Let* —6A **12**
Webb Rise. *Stev* —2H **27**
Wedgewood Rd. *Hit* —6F **15**
Wedgwood Ct. *Stev* —5C **24**
Wedgwood Pk. *Stev* —5C **24**
Wedgwood Way. *Stev* —6B **24**
Wedmore Rd. *Hit* —1E **21**
Wedon Way. *Byg* —5G **7**
Weedon Clo. *Henl* —4E **3**
Wellfield Ct. *Stev* —6B **24**
Wellingham Av. *Hit* —4B **14**
Wellington Rd. *Stev* —4C **28**
Wenham Ct. *Walk* —1H **29**
Wesley Clo. *Arl* —5A **4**
West All. *Hit* —6C **14**
West Av. *Bald* —3C **12**
Westbury Clo. *Hit* —5B **14**
Westbury Pl. *Let* —6E **11**
West Clo. *Hit* —4F **15**
West Clo. *Stev* —4H **27**
West Dri. *Arl* —5A **4**
Western Av. *Henl* —6D **2**
Western Clo. *Let* —2E **11**
Western Way. *Let* —3E **11**
Westfield Clo. *Hit* —6B **14**
Westfield La. *Hit* —6B **14**
Westgate. *Stev* —4F **27**
W. Hill. *Hit* —6B **14**
Westholm. *Let* —3F **11**
Westland Rd. *Kneb* —6D **30**
West La. *Pir* —6A **8**
Westmill La. *Hit* —3A **14**
Westmill Rd. *Hit* —3A **14**

Weston Rd. *Stev* —1G **27**
(in three parts)
Weston Way. *Bald* —3C **12**
W. Reach. *Stev* —1D **30**
West View. *Let* —1H **15**
Westwood Av. *Hit* —1E **21**
Wetherby Clo. *Stev* —1C **28**
Wheat Hill. *Let* —4E **11**
Wheatlands. *Stev* —2C **28**
Whinbush Gro. *Hit* —5D **14**
Whinbush Rd. *Hit* —6D **14**
Whitechurch Gdns. *Let* —2E **17**
White Crofts. *Stot* —2E **5**
Whitegale Clo. *Hit* —1E **21**
Whitehicks. *Let* —2G **11**
White Hill. *Cro* —4H **25**
Whitehill Clo. *Hit* —2E **21**
Whitehill Rd. *Hit* —1E **21**
Whitehorse St. *Bald* —3D **12**
Whitehurst Av. *Hit* —4D **14**
Whitesmead Rd. *Stev* —2F **27**
Whitethorn La. *Let* —2C **16**
Whiteway. *Let* —1E **17**
Whiteway, The. *Stev* —2C **28**
Whitney Dri. *Stev* —6E **23**
Whitney Wood. *Stev* —6E **23**
Whittington La. *Stev* —5G **27**
Whittle Clo. *Henl* —5D **2**
Whitworth Jones Av. *Henl* —4E **3**
Whitworth Rd. *Stev* —4B **24**
Whomerley Rd. *Stev* —5G **27**
Wigram Way. *Stev* —5B **28**
Wilbury Clo. *Let* —4D **10**
Wilbury Hills Rd. *Let* —5C **10**
Wilbury Rd. *Let* —4D **10**

Wilbury Way. *Hit* —2E **15**
Wildwood La. *Stev* —5H **27**
William Pl. *Stev* —6A **28**
Willian Chu. Rd. *W'ian* —3C **16**
Willian Rd. *W'ian* —4B **16**
Willian Way. *Bald* —5C **12**
Willian Way. *Let* —1C **16**
Willoughby Way. *Hit* —1E **21**
Willow La. *Hit* —1B **20**
Willow La. *St I* —5F **21**
Willows Link. *Stev* —3E **31**
Willows, The. *Hit* —2E **21**
Willows, The. *Stev* —2E **31**
Wilshere Cres. *Hit* —5G **15**
Wilson Clo. *Stev* —6F **23**
Wilton Rd. *Hit* —4C **14**
Wiltron Ho. *Stev* —3D **26**
Wiltshire Rd. *Stev* —5A **28**
Winchester Clo. *Stev* —5B **24**
Windmill Hill. *Hit* —6D **14**
Windmill La. *Hit* —2A **20**
Windsor Clo. *Stev* —4F **31**
Winston Clo. *Hit* —6B **14**
Winters La. *Walk* —6H **25**
Wisden Ct. *Stev* —6H **23**
Wisden Rd. *Stev* —6H **23**
Witter Av. *Ickl* —1C **14**
Woburn Clo. *Stev* —4G **31**
Woodcock Rd. *Stev* —1H **31**
Woodcote Ho. *Hit* —6D **14**
(off Queen St.)
Woodcroft. *Hit* —1C **20**
(off Wratten Rd. E.)
Wood Dri. *Stev* —1F **31**
Woodfield Rd. *Stev* —6E **23**
Woodhurst. *Let* —3F **11**

Woodlands Mead. *W'ton* —5B **18**
Woodland Way. *Bald* —5D **12**
Woodland Way. *Stev* —2D **30**
Woodside Pk. Ind. Est. *Let* —4H **11**
Woolgrove Ct. *Hit* —4F **15**
Woolgrove Rd. *Hit* —4E **15**
Woolners Way. *Stev* —3E **27**
Woolston Av. *Let* —1C **16**
Works Rd. *Let* —4H **11**
Worsdell Way. *Hit* —6F **15**
Wortham Way. *Stev* —1F **31**
Wratten Clo. *Hit* —1C **20**
Wratten Rd. E. *Hit* —1C **20**
Wratten Rd. W. *Hit* —1B **20**
Wren Clo. *Stev* —3B **28**
Wrights Meadow. *Walk* —1H **29**
Wyatt Clo. *Ickl* —1B **14**
Wychdell. *Stev* —3G **31**
Wycklond Clo. *Stot* —3E **5**
Wymondley Clo. *Hit* —1E **21**
Wymondley Rd. *Hit* —1E **21**
Wymondley Rd. *Will* —5B **16**
Wynd Arc., The. Let —5F **11**
(off Openshaw Way)
Wynn Clo. *Bald* —2E **13**
Wyrley Dell. *Let* —2C **16**
Wysells Ct. *Let* —4D **10**

Yardley. *Let* —1E **17**
Yarmouth Rd. *Stev* —2C **26**
Yeomanry Dri. *Bald* —2E **13**
Yeomans Dri. *Ast* —1H **31**
York Rd. *Hit* —5C **14**
York Rd. *Stev* —6H **23**

Every possible care has been taken to ensure that the information given in this publication is accurate and whilst the publishers would be grateful to learn of any errors, they regret they cannot accept any responsibility for loss thereby caused.

The representation on the maps of a road, track or footpath is no evidence of the existence of a right of way.

The Grid on this map is the National Grid taken from the Ordnance Survey map with the permission of the Controller of Her Majesty's Stationery Office.

Copyright of Geographers' A-Z Map Co. Ltd.

No reproduction by any method whatsoever of any part of this publication is permitted without the prior consent of the copyright owners.